Breve nota
Tentativa de levar a escrita do cérebro aos olhos e de não a deixar sair daí. Evitar que se pense, transferir tudo para uma questão ótica. Não penses, vê — e vê, não penses. Mas ver o que nos é mostrado e ver ainda o resto. Ao lado, em cima, em baixo, antes, depois.

COLEÇÃO GIRA

A língua portuguesa não é uma pátria, é um universo que guarda as mais variadas expressões. E foi para reunir esses modos de usar e criar através do português que surgiu a Coleção Gira, dedicada às escritas contemporâneas em nosso idioma em terras não brasileiras.

CURADORIA DE REGINALDO PUJOL FILHO

DE GONÇALO M. TAVARES

Short movies

Animalescos

O torcicologologista, Excelência

A Mulher-Sem-Cabeça e o Homem-do-Mau-Olhado

Cinco meninos, cinco ratos

Atlas do corpo e da imaginação

Dicionário de artistas

Edição apoiada pela Direção-Geral do Livro, dos Arquivos e das Bibliotecas / Portugal

SHORT
gonçalo
m.tavares
MOVIES

5ª impressão Porto Alegre · São Paulo · 2023

ÍNDICE

9	....	O PIANO
11	....	A MÁSCARA
12	....	O TÁXI
13	....	A DANÇA
14	....	A LOUCA
15	....	A POBREZA
16	....	O ANJO
17	....	A PROCURA
18	....	O ROSTO DA MULHER
19	....	O CAVALO
20	....	A NOTÍCIA
21	....	A FOTOGRAFIA
23	....	A CONCENTRAÇÃO
24	....	A NATAÇÃO
25	....	DEMONSTRAÇÃO DE HUMANIDADE
26	....	UM BRAÇO, VÁRIAS MULHERES
27	....	O PRESSENTIMENTO DA MÃEZINHA
28	....	O HOMEM
29	....	O IMPORTANTE
30	....	A LIXEIRA
31	....	O VENTO, A ROUPA
33	....	O QUE TERÁ ACONTECIDO, SENHOR?
34	....	O QUADRO DO MENINO JESUS
36	....	O MENINO NO SÍTIO PERIGOSO
37	....	VISTO DE HELICÓPTERO

38	O CRESCIMENTO DOS ANIMAIS
40	A ANOTAÇÃO
41	UM PENHASCO
42	O LIXO
43	A PISTOLA
44	O SECADOR DE CABELO
45	O NÚMERO 76
46	APRENDER
47	AS MÃOS
48	A BICICLETA
49	APRENDER
50	OS IRMÃOS
51	A MULHER TRISTE
52	OS SOLDADOS
53	BATER PALMAS
54	A MÁSCARA
55	UM, DOIS
56	O ESPELHO
57	A MENINA
59	A MERCEARIA
60	O MURO
61	A MESA

62	NOVE
63	BARULHO
64	DESTROÇOS
65	MARATONA
66	A ORAÇÃO
67	O MAIS FORTE
68	ENCONTROS
69	O ROSTO
70	O JOGO
72	A ZANGA
73	UMA FALHA MORAL
74	A FOTOGRAFIA
76	O SAPATO
79	QUEDA
81	A EQUIPA DE REPORTAGEM
83	HOMEM E MULHER
85	GALINHAS
87	O RELÓGIO DA TORRE
88	O HOMEM QUE NUNCA VIU NEVE
90	O ROSTO
91	PROFESSOR
93	A FUGA

O PIANO

Um piano com as teclas partidas, rodeado de água, talvez num pequeno lago.

O dono do piano chega até ele, com água pelos tornozelos.

A mulher e os filhos morreram na catástrofe, mas agora ele localizou o piano que, com o desabamento da casa, desaparecera.

Chegado ao pé do piano, o homem toca numa tecla quase por instinto, para ver se ainda funciona.

Há muito barulho na cidade, há sirenes de ambulância por todo o lado e por isso ele não tem a certeza se o que ouviu foi resultado do seu toque no piano. Mas o piano está de tal forma desfeito que é impossível alguma tecla ainda funcionar.

De qualquer forma, o homem — que acabou de perder a mulher e os filhos — terá perdido também por completo a razão ou então terá ganhado uma outra forma de olhar para o que lhe acontece; e isto porque, em pleno alvoroço, na altura em que há mortos por todo o lado, e no momento em que cada um procura encontrar os seus familiares e confirmar se eles ainda estão vivos, é nessa altura que esse homem subitamente grita — e pede ajuda.

Mas naquele momento ninguém o vai ajudar a resgatar um piano.

A MÁSCARA

    Um homem com uma máscara de gás na cara. O rosto disforme. Como se fosse um monstro. Ele faz depois os gestos de um chimpanzé. Põe as mãos curvadas e simula os pequenos saltos e movimentos do chimpanzé.
    O plano abre-se. Vemos para quem ele está a fazer aquilo. É para uma mulher. Uma mulher muito velha. Moribunda; ligada a várias máquinas e com soro a entrar no braço. Mesmo assim, a velha mulher sorri, primeiro; depois ri, ri muito, não consegue parar de rir. Só a vemos a rir, como se tivesse perdido o controlo.

O TÁXI

Uma mulher levanta o braço. Está no passeio. Não tem pressa, mas levanta o braço e acena com a mão. O táxi não para. Está vazio, mas não para.

A mulher veste calças elegantes, castanhas. Tem um lenço ao pescoço.

De novo, vemos a sua mão levantada a acenar. Outro táxi que não para.

A mulher está a sorrir. É bonita. Levanta o braço de novo. Estamos sempre a vê-la, a ver o seu entusiasmo sorridente. Mas não, de novo o táxi não para. Também vazio, mas não para.

O plano agora abre-se mais. Vemos a mulher, sim, as suas calças elegantes castanhas. E, junto aos seus pés, um corpo inerte; provavelmente morto.

A DANÇA

Uma mulher e um homem, os dois completamente nus, dançam no meio de uma sala. Vemos os dois corpos muito juntos e escutamos a música, um tango lento, uma música de enamoramento. De qualquer maneira, nunca vemos os rostos, não percebemos qual o estado do espírito dos dois dançarinos.

Estão nus e dançam. Ele segura na mão dela, ela deixa-se guiar pelos movimentos dele. Só ela tem um relógio de pulso; de resto, apenas dois corpos nus.

A música termina. Vemos as costas do homem, as nádegas do homem, depois a nuca da mulher e depois os dois rostos neutros, aflitos — e subitamente, no momento exato em que a música termina, escuta-se um enorme ruído: são aplausos, sim, mas o par parece estar com medo; não agradece.

A LOUCA

Um fotógrafo tira fotografias a uma louca. O fotógrafo diz que nem o melhor ator consegue ter a expressividade do rosto de uma louca. E por isso não para. Mesmo quando a louca diz *não* com a cabeça, *não* com a boca e, por fim, *não* com o dedo.

A POBREZA

Uma velha locomotiva abandonada numa estação intermédia, numa linha já desativada.

A locomotiva transformada em armazém: estão dezenas e dezenas de bicicletas velhas, umas sem guiador, outras sem rodas, etc.

Um casal, com a roupa gasta, pobre, está por ali, em redor, como se procurasse uma forma de fazer voltar a andar a velha locomotiva. Mas não. Procuram partes de bicicletas. Com os restos querem pôr uma bicicleta a funcionar.

Saem dali os dois, carregados. Ele com a parte da frente de uma bicicleta de criança e ela, a mulher, com várias peças e um pneu que parece corresponder ao tamanho da parte da bicicleta que o marido leva.

Estão a abandonar a estação desativada, quando nas suas costas ouvem um apito, depois outro. E ao segundo apito, viram-se para trás, assustados.

O ANJO

Um homem pinta um anjo no chão de uma casa. Uma casa contida, séria, com tapetes e móveis pesados, uma casa escura.

O homem dobra-se para retocar um pormenor na veste azul do anjo. Dá um retoque, depois outro e ainda outro. A claridade do azul e do branco do anjo contrastam com a cor escura dos móveis. O pintor parece ter terminado a sua tarefa. Sai do compartimento — o anjo mantém-se no centro da imagem.

Vemos depois o mesmo homem de novo a entrar no compartimento e a debruçar-se sobre a cabeça do anjo. Parece estar a acariciar aquela cabeça; parece estar a sentir a textura e o relevo da tinta. Mas não. As suas mãos tateiam e puxam, com movimentos muito lentos, uma pequeníssima pega que mal se vê — está no meio do cabelo do anjo. Ele puxa a pega e vem atrás uma tampa pequena, com o diâmetro da tampa de uma lata. O homem curva o corpo ainda mais e encosta o olho ao chão. Está a espreitar para alguma coisa que está lá em baixo. Alguma coisa se mexe. Talvez seja uma mulher.

A PROCURA

Centenas e centenas de miniaturas de automóveis amontoados em cestos de verga. Vemos duas mãos à procura de algo no meio daquelas miniaturas infantis. São vários cestos, dezenas de cestos cheios de carros em miniatura e várias pessoas estão à procura de alguma coisa no meio desses carrinhos. É evidente, pela rapidez do movimento das mãos, que eles procuram algo que sobressairá daquele amontoado, alguma coisa que terá um volume diferente — ou um material estranho. Muitas mãos procuram no meio das miniaturas, empurrando os carrinhos para um lado e para o outro, mas até agora nenhuma mão encontrou o que procura. Alguém diz que, ali, no meio das centenas de pequenos automóveis de metal, estão à procura de uma coisa quente.

O ROSTO DA MULHER

Uma mulher vê ao espelho uma parte do seu rosto. O espelho é do tamanho de uma carta de jogar e a mulher com ele só consegue ver pormenores: as sobrancelhas trabalhadas, muito finas, depois os lábios pintados, uma maquilhagem forte, exibicionista, os olhos muito abertos.

Com o tamanho daquele espelho a mulher não consegue ver o seu rosto na totalidade, precisa de ajuda para isso.

Do outro lado da mesa, vemos agora, está uma menina com um rosto que denuncia uma deficiência mental. A menina terá seis, sete anos e é ela que segura agora no pequeno espelho e o coloca a uma distância suficiente — de maneira a que a bela mulher possa ver o seu rosto por completo.

O CAVALO

Um cavalo parado; presa a ele uma carroça parada. Na carroça, dois corpos com uma corda ao pescoço e mãos amarradas atrás das costas. Estão mortos.

Voltamos ao cavalo. Está parado. Aguarda qualquer coisa. Uma ordem, talvez. Mas o cavalo não percebe nada. É muito estúpido.

A NOTÍCIA

A mulher está a ler o jornal, as mãos tremem. Há uma qualquer notícia que a perturba. Não vemos o que é, só vemos a força com que ela amarrota o jornal, e depois o modo como o endireita outra vez e se dirige ao quarto. Pega na almofada, abre a fronha e põe lá dentro o jornal.

Alisa a almofada e coloca-a no sítio em que estava antes, como se nada fosse. Sai do quarto.

Fez aquilo como alguém que quer provocar pesadelos noutra pessoa. Quem dorme naquela cama, e que notícia assustou tanto aquela mulher?

A FOTOGRAFIA

1.
Uma mulher gordíssima experimenta roupa que lhe fica muito mal — está muito apertada.

Um homem com uma máquina fotográfica pede, primeiro, para ela se virar na direção dele; depois aproxima-se e dá-lhe duas estaladas no mesmo lado da cara.

A mulher gordíssima está quase a chorar, apesar de os estalos terem sido dados sem qualquer envolvimento — como se o homem estivesse apenas a ajustar o cenário.

O homem afasta-se um metro, volta depois a aproximar-se e dá-lhe mais um estalo, no mesmo lado da face. Depois sim, afasta-se mesmo e, a cerca de quatro metros dela, baixa-se ligeiramente e põe a máquina fotográfica à frente do olho. Prepara-se para tirar a fotografia. Diz: por favor, agora não se mexa.

2.
Vários homens e mulheres bem vestidos estão

em cima de caixotes para espreitarem para o outro lado de um muro.

Não vemos o que eles veem. Estão em silêncio.

Uma mulher murmura, enquanto abana a cabeça: três estalos. Estúpido — diz ainda, para si própria. — Está a bater nela.

Depois roda de novo a cabeça para o sítio certo e, como todos os outros, luta delicadamente pelo melhor posto de observação.

A CONCENTRAÇÃO

Um homem com uma boina cinzenta e óculos inspeciona as cordas de um violino. Tem o violino a cerca de três centímetros das lentes dos seus óculos e inspeciona longamente as cordas e o estado geral do violino. Este homem é pai, e há uma semana morreu-lhe a filha. De qualquer maneira, passou uma semana, e ele está na feira de objetos antigos e quer escolher um violino e não quer ser enganado. Por isso é que está assim tão concentrado, com o violino a três centímetros dos seus óculos.

A NATAÇÃO

Um homem com uma boina preta está na piscina, vestido, e tenta nadar crawl.
Não se percebe se está a brincar ou se está assustado.
Não se percebe se sabe nadar porque o plano é muito próximo e só vemos os olhos.
O homem de boina preta para e põe-se de pé. A água dá-lhe pelos joelhos. Levanta os braços em sinal de rendição. Mas talvez o seu gesto não tenho sido percebido a tempo. Escuta-se o som de uma bala. O velho de boina basca preta dobra-se de novo e de novo tenta nadar crawl.

DEMONSTRAÇÃO DE HUMANIDADE

Um velho, muitíssimo velho, desdentado, com um boné castanho na cabeça, e com o sorriso que pode fazer já sem os dentes que normalmente fazem o sorriso, concentrando por isso o sorriso na parte da pele acima da boca, nas bochechas, o velho ali está a fazer pontaria com uma fisga, a rir-se de ser tão velho e de ainda ter vontade de acertar em alguém ou em algo. Não perdemos essa vontade; podemos perder a pontaria, os músculos, a força, mas a vontade de matar, essa não perdemos, mesmo quando temos quase noventa anos, não temos dentes e temos um boné castanho na cabeça. Que a vontade humana seja abençoada.

UM BRAÇO, VÁRIAS MULHERES

Uma mulher beija a cruz dourada. Só vemos mulheres e meninas, lá atrás, preparadas para beijar a cruz dourada. A única parte masculina que existe é um braço masculino que surge ali à frente na imagem e dá de comer a cruz dourada às mulheres de ar tão canino e belo; e só as crianças e meninas lá atrás sorriem porque todas as velhas estão à frente e estão tristes ou resignadas, ou furiosas ou tensas ou ansiosas ou qualquer outra coisa que não é de forma alguma feliz. E a cruz vai e vem e só um braço masculino aparece no plano. Como se não existisse um único homem naquela aldeia capaz de beijar a cruz dourada. Como se, de homem, só existisse um único braço que delicado (mas firme), lá vai dando ouro a beijar às mulheres meio perplexas e parvas e atarantadas e que não percebem o que estão ali a fazer.

O PRESSENTIMENTO DA MÃEZINHA

Uma mulher tem ao colo uma criança, que deve ser o seu filho, carrega-o com o braço esquerdo e na mão direita tem uma garrafa de água e bebe. Vai atravessar assim um longo campo de refugiados. Com a mão esquerda carrega a criança ao colo, e com a mão direita vai inclinando a garrafa de água e vai bebendo. Quando chegar quase ao fim do campo de refugiados, ao local da sua tenda, no braço esquerdo vai continuar a ter a criança, mas no braço direito terá uma garrafa de água vazia.

Na sua tenda há gente que lhe pede água e ela prepara-se para partir de novo para a buscar e hesita por uns segundos em levar ou não a criança ao colo. Dizem-lhe para deixar a criança com eles, porque assim pode trazer mais garrafas, e ela compreende o argumento e pousa a criança no chão e volta de novo a caminhar em direção ao sítio onde estão a dar água. Mas não chega ao seu destino porque ainda a meio do acampamento, de súbito, sem se saber bem porquê, dá meia volta e começa a correr para trás, a grande velocidade, em direção à sua tenda.

O HOMEM

Um homem dobrado, joelhos no chão, cabeça encostada à erva. Em seu redor a família procura algo, não percebemos o quê — talvez uma moeda tenha caído e eles procurem a moeda. Mas a forma triste e desarrumada como estão vestidos mostra rapidamente que não é uma moeda o que foi perdido; talvez, sim, no limite, o pedaço de um alimento, um bocado de pão.

Mas só a família — a mulher, de lenço na cabeça, os filhos, um já grande, dois pequenos — só a família procura, o pai não. O pai está ali dobrado, com os joelhos na terra e com a testa sobre as ervas. Parece rezar, ou amaldiçoar algo, ou talvez chore. De qualquer maneira, não ficará assim por muito tempo pois a mulher não deixará de o chamar para que ele também ajude na procura. Mas não, agora vemos que isso não acontecerá. A mãe não tem coragem para chamar o pai que se lamenta ou reza. O pai deve ter perdido alguma coisa ainda mais importante.

O IMPORTANTE

    Atrás do menino está um incêndio enorme, as chamas muito vermelhas mas também mais escuras, e altas; mesmo com a perspectiva as chamas estão ali, ao fundo, bem mais altas do que o rapaz, que deve ter uns quinze anos e já é alto. E o rapaz faz isto: põe-se todo direito, os braços ao longo do corpo, o olhar e o rosto inteiro, em pose. Quer que alguém lhe tire uma fotografia, e talvez alguém lhe faça a vontade. Mas o incêndio está duro e violento e um menino bom deveria ir buscar um balde com água — e não colocar-se em pose para a fotografia, como faz. Mas não sabemos mais nada desta história e o rapaz tem uma camisola azul, sem botões, e vê-se que é uma camisola nova — e isso é mesmo importante.

A LIXEIRA

Numa lixeira, uma televisão velha; ao lado, um plástico azul-claro, talvez de uma tenda, depois plásticos brancos, um tecido amarelo e, na maior parte da lixeira, essa cor acastanhada; aqui e ali negra, mas, sim, é o castanho que domina. Há ainda pedras, e essas, por vezes, são mais claras. Mas o problema é mesmo aquela televisão que está suja — mas mesmo assim, mesmo com a sujidade, poderia ainda funcionar e no meio da lixeira seria bom vermos as imagens que vêm do mundo, que não param de nos alegrar. E a lixeira assim é triste porque tem uma televisão que não funciona e por isso não há nada para ver e como também não há animais nas redondezas há quase um silêncio, e quem está na lixeira fica amedrontado. E talvez seja esse medo, de que nada fale nem se mostre, que leva agora um homem a aproximar-se da televisão partida, no meio da lixeira e, de forma absurda, comece a carregar no botão do on/off. E, sim, no meio do lixo não há eletricidade, o homem já devia saber, mas afinal não desiste e muitos minutos ficará ele, a fazer aquilo, a carregar vezes sem conta no botão que liga a televisão.

O VENTO, A ROUPA

Uma janela, mas vista de dentro da casa. Lá fora, meninos brincam debaixo de pedaços de roupa que devem estar a secar. São pedaços de roupa estranhos, pois não os reconhecemos, não conseguimos associar aqueles pedaços de roupa a partes concretas de um corpo humano normal. Não se percebem calças para duas pernas, nem camisas com duas mangas, nem sequer a roupa interior, as meias, nada aparece ali que se possa identificar. É uma roupa informe e quase nos assustamos ao pensar em quem vestirá aquelas roupas, que não parecem feitas para corpos com as formas humanas. E por momentos pensamos que quem vive naquela casa são seres sem pernas, sem braços, sem partes vitais do corpo, seres que sobraram de algum sítio. Mas depois vemos que não e não e não, são pedaços de roupa estranhos sim, mas é o vento que os empurra, que os faz dobrar sobre si próprios, e aquilo que nos parecia roupa informe, roupa de loucos ou de estropiados, vemos agora, por breves instantes, quando os caprichos do vento o permitem, vemos que são peças de roupa normais que o vento torna informes e defeituosas.

Mas o vento tem razão, e o vento faz coisas que nos anunciam momentos trágicos, muito antes de a nossa inteligência perceber. E por isso é que, graças ao esperto do vento, não nos choca tanto o aparecimento daquele homem estropiado, que vem — com poucos membros e com muita ajuda — mostrar que o vento sabe bem o que faz, que não é assim tão caótico e burro.

O QUE TERÁ ACONTECIDO, SENHOR?

Uma bomba de gasolina, de noite. O empregado tem um barrete na cabeça, o cliente tem um carro branco e está cá fora a pagar a gasolina. O carro branco tem a porta do condutor aberta e agora parece mesmo uma porta que convida, que não se fecha porque há algo lá fora que faz falta: o condutor; e aquela porta aberta mostra que o condutor saiu apenas por breves segundos, um minuto se tanto, pois vai pagar e rapidamente vai voltar, entrar pela porta aberta do carro, fechá-la e regressar à estrada. Porém, algo vai acontecer, algo vai suceder ao condutor, algo que nós não vamos ver mas adivinhar pelos sons, algo vai acontecer ao condutor porque a porta do carro branco não ficará aberta durante uns breves segundos, ou durante um minuto ou vários, a porta aberta do carro vai ficar assim, aberta, à espera — como uma pessoa à espera, como um cão à espera no lado de fora da porta de uma casa — a porta do carro vai ficar assim aberta à espera uma hora, duas, toda essa noite a porta vai ficar assim à espera do seu dono, do seu condutor.

O QUADRO DO MENINO JESUS

Um quadro do menino jesus na parede. A parede por detrás do quadro tem um belíssimo tapete decorado com símbolos religiosos, de uma cor avermelhada. Mas, de repente, quando o nosso olhar avança um pouco para o lado, vemos uma brecha súbita no tapete que cobre a parede e o que vemos nessa brecha é a parede, ela mesma, um muro arcaico que, logo a seguir, menos de um metro a seguir, é interrompido de novo pelo tapete, bonito, com essa cor avermelhada e símbolos religiosos. De costas para essa parede, que é quase por inteiro coberta pelo tapete, muitas pessoas ajoelhadas. E, apesar de tudo, nós não olhamos tanto para o cenário, para o que está nas costas de quem reza, pois todos os crentes nos parecem iguais, tanto os que rezam de costas para um tapete bonito, como aquela mulher que reza, por azar ou acaso, de costas para a parede a descoberto. Mas é esse naco de parede a descoberto, é esse rasgo no tapete avermelhado religioso que nos assusta e nos faz temer o pior.

Sim, é verdade, o quadro do menino jesus na parede também está torto; mas estar torto, um quadro, não é assim tão grave.

O MENINO NO SÍTIO PERIGOSO

Um, dois meninos, e depois mais três. Um menino tem a camisola do Brasil e uma bola de futebol na mão. Mas estamos muito longe daquela camisola, no outro lado do mundo. Um dos meninos equilibra-se com os dois pés em cima de uma trave de ferro enquanto se segura com a mão esquerda a outro ferro que sai de um muro desorganizado ou abandonado ou em ruínas. Os cinco meninos estão em posições de equilíbrio, mas quatro estão em cima de um muro e só um é que está em cima de uma trave de ferro com menos de três centímetros de diâmetro. Mas quem vai cair não é este, é um outro que até parecia estar com os dois pés bem organizados e num sítio mais seguro e, sim, isso tudo — mas estava com medo.

Todos gritaram e só aquele menino que estava no sítio mais perigoso, equilibrado apenas com os pés numa trave de ferro com menos de três centímetros de diâmetro, só esse é que não gritou. Mas não foi por mal, é que ele sabia que se gritasse poderia cair dali, e preferiu não gritar a morrer — o que se compreende, ninguém o pode julgar.

VISTO DE HELICÓPTERO

Uma fila desconjuntada, que não é fila mas sim um monte de homens lado a lado num corredor onde cabem lado a lado três homens, e a fila tem muitos metros de comprimento, portanto devem estar ali centenas e centenas de homens e, sim, estão na fila para procurar emprego e o que é estranho é que não são agressivos, mesmo quando alguém salta uma barreira e passa para o meio deles, ultrapassando muitos outros homens. E isto seria de louvar pela compaixão, paciência, tranquilidade e sabedoria que os seres humanos revelam mesmo em situações difíceis, mas afinal é isto: ninguém tem esperança de chegar ao fim da fila e ter um emprego, por isso podem cortar caminho, passar uns à frente dos outros, podem fazer batota, e ninguém se incomoda; estão apáticos, neutros. De qualquer maneira, de helicóptero, o desespero é mesmo tranquilo; o desespero e a tranquilidade parecem ser, aliás, a mesma coisa, quando vistos daqui.

O CRESCIMENTO
DOS ANIMAIS

Um velho de turbante, com longas barbas brancas leva atrás de si, e ao seu lado, quatro cabras. Três cabras são muito gordas e grandes, uma é pequena, deve ter nascido há pouco tempo — quanto crescem as cabras, em poucas semanas, é algo que não sei, só estou a ver, não estou a estudar nada. Atrás dele vem um outro homem, com um boné na cabeça, montado num burro. Está lá atrás, afastado uns metros de forma a controlar as quatro cabras. O velho avança numa estrada de pedra e um papel vai contra os seus pés: pode ser um jornal que alguém deixou por ali, mas rapidamente se percebe que não — é um mapa. Pode ser um mapa daquela região inóspita ou um mapa de um outro país qualquer. Seria absurdo pensar que, no meio daquela paisagem rude, de montanhas, poderia aparecer ali, de repente, levado pelo vento, o mapa, por exemplo, de uma cidade europeia, do centro de londres ou de paris. Mas tudo pode acontecer. Porém, isto não se confirma: o velho pegou no pedaço de papel mais grosso do que o normal e viu que era um mapa daquela zona montanhosa. E o certo é que o velho tem quatro cabras e não quer saber de mapas; vira-se para trás e estende-o ao homem que o segue montado no burro. Este diz que não o quer, o velho também não e por isso faz o gesto de o deitar fora, outra vez para o vento, mas é aí que a cabra pequena se intromete e parece pedir aquele pedaço de coisa quase viva com aquela maneira que os animais mais estúpidos têm de pedir. E o velho amarrotou o mapa e pôs a coisa na boca do bicho e o bicho, a mais pequena das cabras, vai comê-lo, assim, de imediato, e vai um dia ficar grande como as outras, em parte porque comeu um mapa que não interessava a um velho.

A ANOTAÇÃO

Uma mulher muita magra mede a sua cintura com uma fita métrica amarela.

Depois debruça-se sobre a mesa e escreve algo num papel.

Julgamos que é um número, mas agora, quando vemos de perto o papel, vemos que não é um número. A mulher não apontou a medida da cintura mas sim uma palavra.

É uma palavra, mas não conseguimos perceber qual.

Agora sim, finalmente, conseguimos ler. São, afinal, três palavras: *magra de mais*.

A mulher pega de novo na fita métrica e mede, de novo, com rigor, a sua cinta.

Debruça-se outra vez e agora vemos o que ela escreve.

De novo escreve: *magra de mais*.

UM PENHASCO

Um homem faz asas de anjo ou de avioneta — uma mistura ou pelo menos assim parece, ao longe (é isso que eu vejo). Está no extremo de um penhasco e abre os braços como se fosse um novo Cristo, mas agora este homem não tem os braços presos por pregos a uma cruz, mas, sim, presos por pequenos cintos, a umas asas de avioneta humana. É um material quase infantil e frágil.

Mas ele está preparado para saltar. E salta. Ainda bate as asas duas, três vezes, mas não resulta, não funciona — nem a parte mecânica nem a parte que parece imitar umas asas de anjo. Ele cai e certamente morre. Mas, apesar disso, mesmo antes de cair deve ter recuperado a lucidez, porque se ouviu um enorme grito, um grito horroroso.

O LIXO

No lixo, procuram-se alimentos.
A mãe tem a ajuda da pequena filha.
Encontram um rádio e ficam contentes. E quem passa não percebe. Procuravam comida e aquilo, o que elas encontraram, não se come.
Mas o certo é que, como se levassem um banquete escondido debaixo da roupa, a mãe e a menina fugiram dali, muito rápido.

A PISTOLA

Um menino com uma pistola na mão chora junto a um carro em que está deitado o corpo morto do pai. O menino tem uma pistola cor de prata e não se percebe se é verdadeira ou falsa. De qualquer maneira, o menino chora de verdade e aquilo que tem na mão, ao longe (e mesmo a dois ou três metros), parece uma arma — e por isso assusta. O carro arranca de repente, e ali vai o cadáver do pai, algures, lá atrás, deitado dentro do caixão. Quando o carro arranca algo acontece na cabeça do menino, porque ele aponta a pistola para o carro e começa a disparar. Só aí se percebe que, sim, é uma arma verdadeira.

O SECADOR DE CABELO

Um velho sentado no chão com uma malga de arroz na mão direita.

Duas negras, num cabeleireiro, com a cabeça dentro de um secador antigo, como se fosse um capacete. As duas negras sorriem.

Lá fora há tiros e pilhagens e os corpos enterram-se uns atrás dos outros.

O homem que está no chão come arroz, muito lentamente. As mulheres também tranquilas. Atrás deste quadro, no entanto, percebemos que não há parede, que não há sala, que o homem que come arroz e as duas negras que estão no cabeleireiro estão quase ao ar livre. Não há teto e apenas restam vestígios de paredes que antes estiveram ali.

O mais extraordinário é que os dois secadores de cabelo ainda funcionam. Ouvimos o ruído deles; ruído incerto que mostra que não estão nas melhores condições. Mas funcionam.

O NÚMERO 76

Uma vaca, com o número 76 na orelha, está morta, o corpo caído sobre a neve. O excessivo frio súbito matou vários animais — dezenas, centenas, milhares de animais. Mas nenhum animal era igual àquela vaca com o número 76 desenhado numa placa amarela agarrada à orelha. Esse número, sabe-se lá porquê, assusta.

APRENDER

Uma criança que ainda não sabe escrever diz que odeia os pais.
E quer escrever isso no papel: que odeia os pais.
Sabe algumas letras, mas ainda não sabe escrever. Pergunta à mãe como se escreve o nome dela e o do pai. A mãe diz-lhe, soletra, explica. Depois o menino pergunta como se escreve odeio-vos. A mãe hesita, mas depois soletra, explica, ajuda a desenhar as letras.

AS MÃOS

Um homem com um balde de tinta na mão esquerda traça com a mão direita uma linha que separa Berlim. É uma fotografia de 1948. O homem que estava nessa fotografia, ainda novo, é o velho que agora segura na fotografia.

Ele olha atentamente para a foto e tenta identificar a rua que ele, sozinho, com um balde de tinta, dividiu em dois — como se a tinta branca fosse suficiente para separar duas formas de entender e atuar sobre o mundo. Mas não pegou apenas em tinta, quando tinha aquela idade. Também matou; e fez ainda outras coisas piores que não contou a ninguém.

De qualquer maneira, este homem que agora se vê a si próprio tão novo na foto, este homem agora é muito velho e a fotografia — devido à sua velhice, à perda de domínio dos movimentos — não para de se mover na sua mão, como se não estivesse estável.

É muito velho e não se envergonha de nada do que fez. Apenas tem vergonha de a sua mão estar a tremer.

A BICICLETA

Uma bicicleta deitada no chão sem a roda de trás.
Um homem pega na bicicleta e tenta pedalar, mesmo sem a roda de trás. Não consegue.
Deixa a bicicleta no chão.
Volta, passado algum tempo. Traz uma roda de bicicleta. Monta-a, mas essa roda tem o pneu vazio.
Ele deixa a bicicleta no chão. Surge, minutos mais tarde, com uma bomba de ar para encher o pneu.
Enche o pneu. Testa os dois pneus. Sobe para cima da bicicleta, começa a pedalar. Primeiro devagar, depois entusiasmado, cada vez mais rápido. Pedala, pedala, pedala. Vemos o seu rosto eufórico. De súbito, um choque, um enorme ruído. Um automóvel e a sensação de que a bicicleta se partiu ao meio.
A porta do automóvel a abrir-se, o grito de uma mulher.

APRENDER

Com o corpo deitado sobre um banco, um velho, de cerca de sessenta anos, faz os gestos de quem está a aprender a nadar crawl.

À sua volta, por vezes de cócoras, outras vezes de pé, um outro homem, bem mais novo, corrige pormenorizadamente os movimentos das mãos. Por vezes orienta a posição da mão, fazendo com que os dedos apontem mais para a frente. Outras vezes agarra mesmo em cada dedo individualmente e recoloca-o no sítio exato, de acordo com a técnica de crawl.

Os dedos enrugados do velho vão obedecendo passivamente à condução do professor; e as lições começaram já há muitos dias, mas vão ainda continuar por muito mais tempo — pois o velho não consegue colocar as mãos no sítio certo.

OS IRMÃOS

Um menino caminha com um pequeno tambor nas mãos e, de quando em quando, bate nele de forma displicente, como se fosse obrigado a fazê-lo.

Atrás dele uma menina, talvez a irmã mais velha, toca uma pequena flauta. São ciganos.

Os dois tocam muito mal. A mais velha bate na cabeça do irmão quando ele para de bater no tambor.

A MULHER TRISTE

Uma mulher com a cara tapada pelo véu negro do chapéu. A mulher tem um ar triste, mas neutro.
Está sentada diante de um televisor que exibe um jogo de futebol. Ela assiste ao jogo, mas não mostra emoções. Atrás do seu véu preto continua imperturbável.
Escuta-se um ruído e a mulher levanta-se. Fica de pé.
Entram dois homens que transportam o caixão.
A mulher está de pé, exatamente na mesma posição, imóvel. Os homens abandonam o compartimento, com uma ligeira vénia de respeito, vénias a que corresponde a mulher, fechando ligeiramente os olhos, atrás do véu preto.
O caixão está no centro da sala e a mulher não se mexe. De frente para o caixão olha agora, pelo canto do olho, para as luzes da televisão onde o jogo de futebol prossegue.

OS SOLDADOS

Numa estação de comboios, dois soldados, debruçados sobre o guichê, compram os bilhetes. As suas mãos tremem. Estão nervosos.

Passa um homem, um vendedor, que traz três muletas na mão. Espera que os soldados comprem o seu bilhete para se aproximar, oferecendo as muletas por bom preço.

Mas os dois soldados têm as pernas intactas, caminham normalmente.

BATER PALMAS

Um homem está de tronco nu, com calças pretas, os braços atrás das costas, as mãos algemadas. Mesmo assim consegue bater palmas. Está a bater palmas atrás das costas, com as mãos a fazer um pequeníssimo movimento.

E agora, sim, percebemos por que razão ele bate palmas. Está em pé, a ver uma peça de teatro. Alguém atua para ele, mas não só. Ao seu lado, vemos agora, estão mais de quinze presos, todos em tronco nu, todos com os braços atrás das costas e todos com algemas. E esses homens rudes, dada a dificuldade de movimentos, batem palmas de uma forma que parece gentil, nobre, delicada, pudica.

A MÁSCARA

O homem com uma máscara de cão. Ao seu lado, uma bailarina de sete anos. A menina faz as suas habilidades.

Estamos numa sala de balé. Vemos o espelho e no espelho vê-se a sala toda. Está vazia. Apenas um homem com a máscara de cão e a menina de sete anos que faz os gestos de balé, acompanhando, com rigor, a música. A cada pausa, a máscara de cão bate palmas. Deve ser o pai da menina, pensamos. É uma exibição da menina e o pai vai batendo palmas, pensamos.

Mas, de qualquer maneira, porquê aquilo?

UM, DOIS

A cruz de Cristo mantém-se lá em cima, mas o resto do edifício da igreja caiu. Uma mulher chora e grita e ajoelha-se diante daquela alta cruz que resiste até a um terramoto brutal. A cruz lá no alto impõe respeito, sim.

Noutra igreja, no entanto, a cruz mais alta acaba de ser derrubada pela queda de um crente bêbado.

Depois desta queda os fiéis mais próximos dividiram- se: uns ajudaram o bêbado a levantar-se, outros correram para a cruz e rapidamente a voltaram a colocar na posição inicial. É uma bela cruz.

O ESPELHO

Um homem elegante vê-se ao espelho. Ajeita a gravata. Está longamente a acertar tudo, como se a roupa impecável que veste não fosse suficiente. A gravata, a camisa, um pequeno toque. O elegante casaco preto, as calças da mesma cor, um leve puxar do cinto.

O cabelo, penteia-o para um lado e para o outro. Aproxima o rosto do espelho. Tira algo, uma partícula mínima do canto dos olhos. Faz uma careta e outra. Um ar sério, o ar de quem está a seduzir com tranquilidade. Um último toque no cabelo, depois, subitamente, um soco brutal no espelho. O espelho parte-se. O homem vira-se de imediato e sai da casa de banho. Estão à sua espera na festa. O homem vai com a mão a sangrar. A sala está já cheia — e a música começou.

A MENINA

Uma menina joga à macaca. Um pé, dois pés, um, outro. Dois pés outra vez; vira-se, pé direito, esquerdo, dois pés.

Vira-se, de novo dois pés, novamente um pé, depois o outro e o outro, dois, vira. Ali está ela de novo, sem parar. De novo: um pé, dois, um, outro, dois, vira. E de novo e de novo e de novo.

Depois a câmara de filmar afasta-se um pouco. Vemos o jogo da macaca desenhado a giz no chão. Não há ninguém a ver o jogo exceto um homem que tem uma arma na mão. É uma pistola. Ele tem a pistola na mão direita, o braço estendido ao longo do corpo. Parece estar à espera.

Voltamos à menina e agora percebemos que os dois sapatos pretos que antes víramos de relance são os dois sapatos pretos do homem. De novo, vemos a menina. Deve ter oito anos. De novo, os seus pés pequeninos. Um pé, dois pés, um, outro. Dois pés outra vez; vira-se, pé direito, esquerdo, dois pés.

Ali está ela, de novo, sem parar. De novo, um pé, outro, dois, vira, dois, um, outro. E de novo e de novo e de novo.

A MERCEARIA

Numa mercearia, lá atrás, um póster de Marilyn Monroe.

Depois vemos a mercearia. Os alimentos mal arrumados, a sujidade no balcão e em várias prateleiras.

Depois vemos o casal que trabalha na mercearia, provavelmente os seus donos. São feios, terrivelmente feios. Os dois.

Lá atrás, o póster de Marilyn Monroe.

O MURO

Um negro, cabelo rapado, quinze anos talvez. Ali está ele, a sujar um muro. Não se percebe, mas parece tinta.

Vemos a sua cara, está entusiasmado — mas também, no canto da boca, um sorriso desagradável.

Primeiro, estava a sujar apenas, mas depois começa a pintar letras. Percebemos o que escreve; escreve: *sou cego*.

Não faz sentido porque vimos o rosto dele e os olhos pareciam absolutamente normais.

Voltamos a ver os olhos dele enquanto caminha, afastando-se do muro. Os olhos parecem normais, mas ele desequilibra-se; não cai, estende as mãos à frente do corpo. Recupera o equilíbrio. É cego, percebemos. E continua a avançar.

A MESA

Na televisão, um filme antigo de Fred Astaire. Vemos o sapateado. Só os pés.

A câmara afasta-se da televisão e acompanha o chão da sala à procura de pés humanos. A câmara percorre toda a sala, como se obedecesse a um sistema organizado. De uma ponta à outra, da esquerda para a direita, sempre a avançar. Vemos os pés dos diferentes móveis e reconhecemos os objetos da sala em diferentes ângulos. Não está ninguém no chão, nada — pelo menos sapatos ou pés.

A câmara sobe até à altura da mesa. Vemos uma mesa onde acabaram de almoçar duas pessoas. Identificamos a sujidade, os dois pratos, os restos da comida — e fica a sensação de que alguém se zangou. Os pratos não estão no seu sítio normal.

De novo, a câmara regressa à televisão. Voltamos a ver os sapatos de Fred Astaire.

NOVE

Imagens antigas da corrida ao ouro. Homens, numa fotografia a preto e branco, com pás a retirarem pedras. São nove homens. Dois deles seguram numa peneira para verificar se as pedras são só pedras ou se há ouro no meio.

De imediato, um salto no tempo e o que vemos agora é um grupo de homens, também com pás, a tentar remover os destroços para recuperar corpos, depois de um grande desabamento.

Contamos quantos homens estão naquele momento na imagem, já a cores. E sim, é isso: estão nove, nove homens.

BARULHO

O barulho de um avião.
Um menino com ar de deficiente mental aponta para cima e grita.
A mãe está a apanhar sol, virada de barriga para baixo. Estão na praia.
Ela não se mexe, nem com o barulho do avião, nem com o alvoroço do filho.
Mantém-se imóvel.

DESTROÇOS

Vemos um monte de destroços, múltiplas casas completamente desfeitas. Vestígios de roupa e um ou outro objeto milagrosamente intacto. Mas, acima de tudo, o pó já acalmou.

Um homem faz a saudação nazi à frente das ruínas.

MARATONA

Um vídeo de Emil Zatopeck a correr a maratona. O seu rosto em esforço.

Um pouco ao lado, a fotografia de Hitler na parede. Não é uma fotografia, é uma caricatura. O plano aproxima-se do rosto de hitler e percebemos que está todo furado. Vemos depois um dardo. Um, depois outro, a acertarem na cara e a caírem.

Depois não há mais dardos.

Vemos de novo o vídeo de Emil Zatopeck a correr a maratona. Alguém desliga o vídeo.

Levantou-se do sofá. É um menino.

Em pé, ao lado dele, vemos quem atirava os dardos. É uma menina. Os dois devem ter perto de dez anos. São irmãos.

A ORAÇÃO

Uma fotografia mostra uma menina com os olhos fechados a rezar antes de comer a sua refeição.

Mas enquanto reza, com as mãos juntas, um cão põe o focinho em cima da mesa e come parte da comida da menina que estava no prato. Esta é a foto. Depois ter-se-á passado isto (mas é impossível ter a certeza): a menina termina de rezar, agradecendo a Deus a refeição e, depois de abrir os olhos, vê que uma parte da comida já lá não está. Vê o focinho do cão a mastigar e percebe o que se passou. Dá uma palmada no cão. A palmada não é bem aceite e o cão vira-se contra a sua pequena dona e morde-lhe na mão direita. A menina grita, tem a mão direita a sangrar, e toda a gente que está a ver a situação pensa (tem a certeza) que, no dia seguinte, a menina já não conseguirá rezar da mesma forma.

O MAIS FORTE

Um homem é agredido por uma mulher.

Lá ao fundo, uma cabana está em chamas e a cor vermelha ocupa a parte de cima da vida, ou mais exatamente um terço da vida (o terço superior).

Uma criança grita. Viu a mulher agredir o homem. O homem é forte e a mulher é fraca, mas a criança protege o homem.

Não interessa o que já passou, nem o que virá a acontecer. O que importa é o que eu vi, diz a criança.

E é por isso que ela protege o homem, a parte mais forte.

ENCONTROS

Um homem bebe cerveja num bar. Na mesa estão pousados um caderno e um calendário do tamanho de uma folha grande, A3.

O calendário do mês de janeiro tem, ao lado do dia da semana e do número, um nome escrito à mão — um nome masculino.

O homem escreve outro nome no quadrado que parece indicar aquele dia. Acaba de o escrever quando alguém se aproxima da sua mesa.

Ele levanta-se e cumprimenta o homem que acaba de chegar — homem que se senta na mesa, sorrindo; um certo ar perverso.

O ROSTO

Uma corrida de velocidade.
Vemos o rosto de um corredor em grande plano.
O rosto de esforço. As sobrancelhas, a boca.
Não sabemos o que está a acontecer na corrida porque só vemos o grande plano do rosto de um corredor.
Acaba a corrida.
E porque continuamos apenas a ver um rosto, não sabemos o que aconteceu — quem perdeu, quem ganhou.

O JOGO

Um banquete tumultuoso, comida e vinho a passar de um lado para o outro. Pessoas a gritarem, risos, pessoas em pé, outras sentadas. No meio da mesa do banquete dois homens jogam um jogo de tabuleiro — estão totalmente concentrados nele e alheados da confusão. Não têm pratos nem copos, apenas o tabuleiro à sua frente — as peças, umas pretas, outras vermelhas. Talvez nenhum dos convidados do banquete saiba, e talvez nem sequer os dois jogadores saibam, mas quem ganhar aquele jogo de tabuleiro poderá matar uma pessoa que está naquela sala, uma pessoa à sua escolha. Foi isto que decidiu o dono da casa, que não se vê em lado nenhum. O vencedor merece um prémio, e é este o prémio: pode matar quem quiser.

O vencedor do jogo ainda não sabe, mas vai aceitar o prémio, claro. Entretanto, como o jogo ainda decorre, o banquete também continua e há tantas pessoas alegres, há tantos risos, que até parece estranho pensarmos que um daqueles que agora devora patas de animal e ri às gargalhadas, que será um desses a ser assassinado daí a poucos minutos. Os banquetes são estranhos, sempre foram, e são assustadores, sempre foram, mas aquele é ainda mais estranho por causa daqueles dois jogadores.

A ZANGA

Uma mulher leva um alguidar na cabeça. Um alguidar amarelo pousado sobre uma peça de roupa enrolada que permite que o alguidar se equilibre sem a mulher precisar das mãos. A mulher precisa das mãos para protestar e para insultar. É isso que ela faz. Quer alguma coisa ou roubaram-lhe algo. Mas o mais impressionante é que por muito que esteja zangada nunca se zanga até ao ponto de o seu corpo abanar — o alguidar ali continua, sem cair, em cima da sua cabeça. Ela só se zanga da cabeça para baixo, nos músculos das mãos, das pernas, aí, nesses músculos, é que está toda a tensão — mas também nos músculos do rosto pois a sua cara está bem brava, os músculos contraem-se de uma forma feia. Ela protesta mesmo a sério, grita. Mas os músculos do pescoço, os músculos que mantêm a cabeça firme, esses não se movem nem um bocadinho, não estão zangados ou então essa mulher há muito se habituou a estar zangada dessa forma, a estar furiosa dessa forma, com um alguidar amarelo lá em cima, sem mexer a cabeça.

UMA FALHA MORAL

Uma feira na China. Milhares de pessoas. Livros e caixas e objetos, tudo no chão. Os compradores dobram os joelhos para se aproximarem das mercadorias. Os vendedores mantêm os joelhos dobrados, estão sempre perto das mercadorias. Há, entretanto, um amigo do vendedor que chega e esta chegada faz com que o vendedor se levante com um sorriso e cumprimente o amigo, com júbilo. É nesse exato instante de júbilo que um ladrão rápido põe uma pequena caixa no seu bolso, continuando impávido, na mesma posição, com os joelhos dobrados. O vendedor fala uns minutos com o amigo e despede-se, regressando ao seu ponto baixo, o ponto em que observa as mercadorias e os clientes. Já lhe roubaram uma caixa, mas o vendedor ainda não o notou; está muito contente por ter encontrado o seu amigo.

A FOTOGRAFIA

Um jovem adulto, vinte anos — armado com duas pistolas presas à cintura —, avança pela rua com a fotografia do rosto de um homem velho tapando-lhe a cara. Não se percebe se é uma máscara, se o jovem não quer ser reconhecido ou se quer, afinal, mostrar a todos o rosto daquele velho.

Continua a avançar e nunca vemos a cara dele, pois tem as duas mãos a segurar na fotografia à frente da cara, como se fosse uma máscara.

Poderá ser a fotografia do pai e, se for assim, aquele homem avança para se vingar.

E alguém murmura que sim, é a fotografia do pai, porém este morreu há muito e de doença. Por isso não se percebe o que acontece a seguir.

O homem, segurando sempre a fotografia à frente da cara, mas agora só com a mão esquerda, pega com a outra mão numa das pistolas e começa a disparar, ao acaso.

Não está cego, não está de olhos vendados, mas tem a fotografia do próprio pai, do velho pai que morreu há anos, a tapar-lhe o rosto e, portanto, os olhos. Desta forma, o homem dispara ao acaso. Pode acertar em alguém ou não, mas o que faz assusta. Parece o jogo da cabra cega, mas mais perigoso.

Não faz sentido, depois disto tudo, culparem o pai daquele homem, mas o facto é que é a cara do velho que está a disparar. É aquele rosto da fotografia que levanta a arma e dispara.

O SAPATO

Uma mulher está a confessar-se. Já está no momento em que o padre a perdoou e ela reza vários pais-nossos. São muitos, é o que se percebe — e ali está ela, sem parar, em rotação contínua, como um disco avariado, mas que não repete apenas; por vezes há variações de tom, de ritmo, abrandamentos, acelerações, pequenas dúvidas na reentrada da mesma palavra de sempre. Porém, ali estão dezenas e dezenas de pais-nossos ditos por uma mulher muito bela, muito atraente, que, agora vemos, tem um belo decote, sim, e também, lá em baixo, nas pernas ajoelhadas, vemos que tem apenas um sapato, apenas um, falta-lhe o outro. Onde está esse sapato? Vamos agora à procura, como se a câmara de filmar fosse bem-comportada, como se fosse elegante e delicada, uma espécie de escuteiro que quer fazer uma boa ação; ali vai o olhar da câmara à procura do sapato que falta à bela mulher que não para de rezar de joelhos em frente ao confessionário, mas o certo é que mesmo aquela bela canção das rezas, que soa maravilhosamente no espaço da igreja, mesmo essa lengalenga não consegue conduzir a câmara até ao ponto mais importante — o ponto onde ficaríamos satisfeitos, onde encontraríamos o segundo sapato, o sapato que falta àquela bela mulher — e mesmo sem mais nada, ficaríamos com a sensação de que tudo estava certo e completo, pois o segundo sapato acalmaria um certo desconforto e inquietação; mas não há segundo sapato, só há um, e o segundo não aparece, esse segundo que se aparecesse seria um objeto e com ele, é certo, não apareceriam as razões de se ter afastado do primeiro sapato, nem a narrativa ficaria esclarecida, mas seria, ainda assim, um objeto, uma coisa física, o elemento de uma adição que faria com que uma pequena parte da história se completasse. Porém, o certo é que a câmara a fazer a boa ação de escuteiro passa pelos vários bancos da igreja e nada: não há sapato a sobrar, todos os outros sapatos estão no sítio certo, nos pés dos outros crentes que estão distribuídos pela igreja e por ali rezam: há sapatos, um de cada lado e nenhum a menos. E, de facto, a igreja não resolve o problema da ansiedade, que na verdade não é a ansiedade da mulher, mas sim a ansiedade da câmara que procura acelerar o seu movimento na procura de um sapato, como se fosse à câmara de filmar que faltasse um sapato e não à mulher. Mas eis que ela — a câmara, não a mulher — sai esbaforida. Está atrasada?, porque sai ela assim? Sai da igreja, a câmara de filmar, abandona a mulher e vai em corrida, vai com muita pressa, como se finalmente se tivesse lembrado de algo determinante, como se tivesse que correr para evitar um incêndio, está com tanta pressa que corre, que corre a grande velocidade; ali está então a câmara a rodear a igreja, a correr para a parte de trás de um edifício onde está um pequeno bosque e, sim, ali afasta galhos e avança pelas ervas, pelos arbustos mais ou menos desordenados e ali está o que se procurava: o sapato da mulher, o segundo sapato, finalmente; e, sim, o processo está concluído; encontrou-se o segundo sapato e por isso a câmara acalma, tudo está agora sereno e é então, agora, com uma extrema calma, com muita lentidão, que a câmara para, tranquila, de frente para o menino morto ao lado do segundo sapato.

QUEDA

Um homem está num telhado, de pé, e grita para outro telhado, onde está um menino, todo encolhido, a tentar também colocar-se de pé. O plano do filme está centrado lá em cima, e os telhados quase parecem ser o solo de duas casas, mas não. São telhados e estão frente a frente, a poucos metros de distância — e no meio há nada, um vazio. Um buraco que é, no fundo, o espaço entre duas casas; e o homem de um lado é a parte forte, já se percebeu, e tenta ajudar a parte fraca, o menino, que nem sequer tem coragem para se pôr em pé. O adulto dá indicações ao menino para que ele consiga sair do telhado sem cair, mas o adulto pensa que é mais forte do que realmente é, ou que é mais imortal, porque, de qualquer maneira, alguma coisa aconteceu, pois escuta-se um grito e, de repente, há dois telhados e só um menino, que continua a tentar equilibrar-se, meio curvado sobre o seu telhado, respeitando as alturas, as vertigens, o peso do corpo e o seu equilíbrio, respeitando, portanto, o seu próprio medo; e, sim, aquele homem que era tão bom que até queria ajudar o menino não respeitou o seu medo, foi um pouquinho arrogante, e o que acontece com os que são um pouquinho arrogantes é que caem de mais de vinte metros e morrem.

A EQUIPA
DE REPORTAGEM

Estamos diante de um 'criminoso' que tem a cabeça baixa, não levanta os olhos sequer para o pai que já lhe deu um estalo e ainda vai dar mais e muitos e com força porque o menino não se pode comportar assim, não se faz isso — e aqui vai, agora, bem à frente da câmara de filmar, um forte estalo que põe em sentido a cara do menino que tem dez anos e a vida é assim, começa por este lado muitas vezes — outras vezes não —, mas não estamos aqui para filmar os bonzinhos, viemos da floresta negra, com toda a equipa de reportagem, com as câmaras atrás, viemos de um sítio longínquo, não para filmar a bondade, para isso filmávamos logo da nossa janela, viemos de longe porque ouvimos dizer que nesta aldeia as pessoas são tão diferentes que até fazem isto, assim, sem qualquer pudor, à frente das câmaras. De qualquer maneira, a primeira filmagem não ficou boa, por uma qualquer questão técnica, por isso é necessário repetir — e sim, o pai diz que sim, que não se importa de repetir, aliás, há anos que não faz outra coisa senão repetir, mesmo quando longe das câmaras —

por isso ali vai ele de novo ser mau, muito mau, que mau que ele é para o seu filhote. E o rapaz mantém a cabeça baixa — faz tudo isto sem representar — e só levanta a cabeça, que dócil que ele é, para apanhar um violento estalo do pai (que forte este é). E, assim, feitas as coisas que têm de ser feitas, aquele sangue parece justificar-se — e o menino, quando crescer, fará certamente o suficiente para merecer a atenção que agora o seu pai recebe — e é só mesmo nisto que pensa o menino.

HOMEM E MULHER

Os dedos da mão experiente contam a pulsação cardíaca num pulso muito magro. É uma mulher magríssima, magra de mais, um vazio que fala e é pessoa; parece uma folha transparente, quase que dá vontade de escrever naquela folha, naquele tronco sem mamas, naquele corpo cadavérico que está transformado numa superfície de escrita, parece um quadro, um corpo onde se escrevem anotações, onde se apontam recados, os não-esquecer que são úteis à vida do dia a dia: não esquecer de comprar sacos pretos para o lixo, não esquecer de telefonar ao amigo, não esquecer de levar o casaco.

O médico para e aponta um número no seu caderno. Depois aproxima o estetoscópio daquele peito cadavérico, daquelas mamas que não têm mamas mas onde se percebe que já existiram coisas e até excitação — mas agora os dias são outros e o médico só diz umas palavritas depois de apontar uma série de números. Ele diz assim: você tem de comer. E depois de novo escreve umas coisas e pede que a mulher se levante e conduz a mulher até à balança, permitindo que ela se apoie no seu braço, e leva-a até à balança como se a levasse durante a noite pela floresta até à casa onde está aquele homem mau que a vai matar. E lá está: a mulher chega finalmente à balança, vai até lá acima e a floresta é má e longa mas sempre termina — para o bem da maldade e para o mal das meninas e das mulheres. E o médico aponta um número, um número muito pequeno, demasiado pequeno para uma pessoa que ainda está viva.

GALINHAS

Um menino com laranjas na mão a tentar acertar em galinhas que fogem como podem desse ataque infantil. A laranja não magoa muito, mesmo quando atirada com força porque, se acerta no corpo da galinha, o corpo ainda é espesso e largo e amortece a dor enquanto na cabeça da galinha a laranja pouco parece fazer porque a cabeça é ágil e raramente comete a estupidez de tentar responder à força com mais força. Mas claro que as galinhas não aprenderam a teoria do judo e não sabem que diante da força se deve fingir fraqueza para que seja a própria força do outro a derrotá-lo; a galinha estúpida nada percebe de judo e por isso, agora, quando os meninos já estão mais afastados mas não o suficiente para estarem muito longe, agora que eles já encontraram a distância certa para que as laranjas ganhem a velocidade máxima, agora, sim, os meninos afinam a pontaria e quando acertam na cabeça da galinha causam mossa, e isso é evidente pelos movimentos ainda mais desordenados do animal. Mas a questão é saber que efeito concreto tem aquilo tudo. E o mais certo é não existirem danos irreparáveis; talvez depois, sim, quando já estiverem sós, quando os meninos já tiverem ido embora, talvez elas fiquem exatamente iguais na cabeça, lá por dentro, só que com mais medo; com medo, mesmo quando não houver ninguém, quando não houver nenhum menino nas proximidades. E talvez até o medo faça bem às galinhas, as faça evoluir, por exemplo, as faça terem mais pressa ou tornarem-se mais inteligentes.

Mas ninguém consegue acreditar que elas aproveitem o mal que lhes fazem para evoluir, não são assim tão humanas, são animais que ainda perceberam poucas coisas.

O RELÓGIO DA TORRE

Um homem bem vestido para no meio da praça e levanta a cabeça. Com os movimentos de quem parece confirmar as horas pelo relógio gigante da praça central, o homem bem vestido vai acertando o seu relógio de pulso.

Olhamos agora para o relógio da praça central e vemos que ele está a ser arranjado: há vários homens em seu redor. E se esses homens parecem macacos que, em vez de se apoiarem em galhos, se apoiam em ponteiros metálicos gigantes, se por instantes parecem macacos, segundos depois parecem médicos em redor de um corpo qualquer que está a sucumbir e eles — meio elétricos e acelerados, outras vezes com uma calma que não se percebe — ali estão, em redor daquele corpo em forma de círculo, tentando recuperar os batimentos do único coração que, de facto, faz falta.

De qualquer maneira, o homem lá em baixo continua à espera.

O HOMEM QUE NUNCA VIU NEVE

Um homem pousa um pé na neve. Mas nunca viu neve, por isso mantém o outro pé, o pé direito, dentro do automóvel. O carro ainda em funcionamento, preparado para arrancar. O motor funciona e com esta coisa, sim, com o motor, ele entendese. O homem tem medo porque nunca viu neve, nem sequer viu fotografias com neve, um absurdo pois há tantas imagens, há mesmo quem as venda, quem as ofereça, quem as mostre sem ninguém pedir. Mas alguém lhe terá feito essa partida: a de nunca lhe mostrar neve.

E agora, ali está ela, a neve, à sua frente, atrás de si, ao lado. E por isso ele parou o carro. Quer perceber o que é aquilo que é branco e amedronta a velocidade com que ele avançava no seu carro velho. Estava perdido, mas agora está com medo, o que é bem pior. Ou talvez não. O certo é que o homem tem ainda o seu pé esquerdo na neve, mas quem o visse agora poderia pensar que estava ali um bailarino. Porque ele nem sequer pousa o pé por completo. Tem tanto medo — põe apenas a pontinha do pé; como se mesmo com o sapato a neve queimasse. Mas o homem realmente ou é louco ou não percebe nada porque agora, vejam bem, um movimento do seu próprio pé esquerdo sobre a matéria da neve assusta-o e ele rapidamente põe o pé para dentro do carro porque tem medo de que aquilo que é branco lhe leve a perna; como se estivesse no meio de um pesadelo qualquer ou no hospício: começa a fugir. O homem fecha a porta do carro com força e arranca agora já sem qualquer precaução, a grande velocidade, pois está com medo da neve, veja-se bem, que disparate — medo da neve que é tão branca e boa e bela — e, como está com medo, acelera, esse homem que agora mesmo, vejam, com medo do que é belo e bom e branco, vejam, está a cair, sim, derrapou, o seu forte carro velho em que tanto confiava derrapou, e a queda é violenta e alta, e ali vai ele. Adeus, homem tonto.

O ROSTO

Um homem é espancado por quatro homens.

Mais tarde, como se o baile tivesse mudado de canção e os bailarinos tivessem mudado de pares, um daqueles quatro homens é espancado por outro grupo. Impossível saber quantos.

Assistimos ainda a mais dois espancamentos.

Mais tarde, ainda, reconhecemos um rosto, sabemos bem que já o vimos — mas não conseguimos localizá-lo: aquele homem foi espancado ou espancou?

De qualquer maneira, simpatizamos com aquele rosto.

PROFESSOR

Um homem ensina a história mundial. Fala das guerras, das invasões, das datas. Estamos sempre a ver esse homem um pouco estranho, sim, que não para de falar, de explicar, de justificar, de mostrar causas e efeitos — fala de desemprego, de provocações, de casos patológicos. É um elegante senhor, muito magro e alto, e durante muito tempo só ouvimos as suas palavras e os seus gestos entusiastas que querem convencer. E subitamente, sim, ali estamos diante da sala toda, o plano abre-se e o que vemos são animais: cães, muitos cães, cães por todo o lado e de todas as raças, estamos num canil e percebemos agora que aquele homem é o homem que trata dos cães, é o homem que os guarda. Estamos de noite, estamos num canil e é um doido que guarda os cães, é esse doido que ensina a história mundial aos cães. Por que faz ele isso? Talvez se prepare para uma aula qualquer, para uma conferência, como saber? De qualquer maneira, tem ar de doido. Talvez o tivessem empregado ali, mas com algum receio, apesar de tudo, que ele, de repente, fizesse mal aos cães. Mas ele não faz mal aos cães, não os maltrata, não lhes dá pontapés, não lhes tira a comida ou algo de semelhante, não lhes atira água a ferver. O que ele faz é uma coisa que parece não ter efeitos violentos: ele está a discursar, sobre a história mundial, aos cães, e o único problema é não se calar. Os cães não sabem o que ele está a dizer, mas até aos cães a cabeça deve doer depois de tantas horas a ouvir um homem a falar do século 20 de forma tão minuciosa e sem pausas.

Voltamos, pois, a vê-lo, apenas a ele, durante muito tempo e já esquecemos de novo por completo que ele está num canil, a falar para os cães, porque o que vemos é um homem entusiasmado a falar da história do século 20.

A FUGA

Alguém foge, corre a grande velocidade e está assustado; vê-se pelo seu rosto que acompanhamos de perto: as sobrancelhas, o suor, a cara tensa, tudo neste plano mostra à evidência que estamos diante de uma fuga e de uma perseguição. E o que nunca vemos — pois o plano é sempre do rosto — adivinha-se ser o perseguidor — o homem que vai com a maldade atrás daquele rosto que foge.

Mas o plano abre-se e temos uma surpresa: o homem está a correr em redor de uma mesa — de uma mesa grande, sim, e circular — mas de uma mesa.

Não pode ser um treino para uma qualquer modalidade estranha, pois a estranheza tem limites. E não há perseguidor porque só há uma mesa e não há espaço para mais ninguém.

Mas o que importa é que de novo vemos, de muito perto, aquele rosto assustado. E se um rosto está assim assustado é porque tem razões para isso. E aquele rosto assustado justifica por completo a fuga, mesmo que não haja perseguidor e mesmo que aquele homem corra e fuja em redor de uma mesa, tudo está justificado. Olhamos para aquele rosto assustado e pensamos que sim, é justo, é adequado, é equilibrado, está bem assim — aquele homem merece estar com medo e estar assustado.

E tu, por exemplo, se estivesses na mesma situação — a correr como um louco em redor de uma mesa — também não estarias assustado? Eu sim, digo, eu respondo que sim, que se corresse daquela maneira, que se estivesse com aquele medo a correr em redor de uma mesa, ficaria ainda com mais medo e por isso correria ainda mais, como um louco, para fugir, para não ser apanhado.

Copyright © 2011 Gonçalo M. Tavares
Edição publicada mediante acordo com Literarische
Agentur Mertin, Inh. Nicole Witt, Frankfurt, Alemanha

Revisado segundo o Novo Acordo Ortográfico da Língua Portuguesa.
Nos casos de dupla grafia, foi mantida a original.

CONSELHO EDITORIAL
Eduardo Krause, Gustavo Faraon, Luísa Zardo,
Nicolle Garcia Ortiz, Rodrigo Rosp e Samla Borges
PREPARAÇÃO E REVISÃO
Rodrigo Rosp
CAPA E PROJETO GRÁFICO
Luísa Zardo
FOTO DO AUTOR
Alfredo Cunha

**DADOS INTERNACIONAIS DE
CATALOGAÇÃO NA PUBLICAÇÃO (CIP)**

T231s Tavares, Gonçalo M.
 Short movies / Gonçalo M. Tavares.
 — Porto Alegre : Dublinense, 2015.
 96 p. ; 19 cm.

ISBN: 978-85-8318-065-4

1. Literatura Portuguesa. 2. Contos
Portugueses. I. Título.

CDD 869.39

Catalogação na fonte:
Ginamara de Oliveira Lima (CRB 10/1204)

Todos os direitos desta edição
reservados à Editora Dublinense Ltda.

Porto Alegre • RS
contato@dublinense.com.br

Descubra a sua próxima
leitura na nossa loja online

dublinense .COM.BR

Composto em MINION e impresso na PALLOTTI,
em PÓLEN BOLD 90g/m², em AGOSTO de 2023.